Eleanor Lemire

DOMITILLE
DE PRESSENS

émilie
ne veut pas manger

ROUGE & OR

Dépôt légal Novembre 1989
ISBN 2-261-02839-3
Imprimé en France par Lescaret

miam miam
j'ai faim !

qu'est-ce
que c'est ?

berk !
j'en veux pas.

émilie ,
tu n'as
même pas
goûté,
dit maman

j'aime pas ça !

comment
peux-tu dire que
tu n'aimes pas ça,
puisque
tu ne connais pas?
goûte d'abord

hum ! goûte
un peu, émilie,
c'est délicieux.

j'ai senti et ça
ne sent pas bon

et puis là, je vois
un truc dégoûtant.

beuh... j'veux pas
manger tout ça

tu en mangeras
la moitié.
regarde !
maintenant, il reste
quatre cuillerées;
comme ton âge

j'ai plus faim,
mais plus faim
du tout.

émilie,
tu vas manger
cette petite part,
et si tu continues,
tu termineras
tout ce qu'il y a
dans ton assiette.
...et arrête
de pleurer

ouin...

je compte
jusqu'à trois,
si à trois,
tu n'as pas goûté,
je te donne
une fessée.
un... deux... tr...

beeeh ! c'est mauvais. ça donne envie de vomir

émilie,
arrête,
tu as à peine
goûté ...

si, j'ai goûté d'abord,
et puis tout ce qui
n'est pas bon,
j'aime pas ça.

ouin... j'voudrais
de l'eau et du pain
pour manger avec
et puis aussi...

émilie,
mange
immédiatement !

alors, c'est bon ?

j'sais pas...

bon... peut-être
que je vais finir
mon assiette et que
j'en reprendrai...

DU MÊME AUTEUR

dans la même collection

ÉMILIE
ÉMILIE ET ARTHUR
ÉMILIE ET SIDONIE
ÉMILIE ET LES PAPILLONS
ÉMILIE SOUS UN PARAPLUIE
LA MAUVAISE HUMEUR D'ÉMILIE
ÉMILIE ET L'OIE PERDUE
ÉMILIE ET SES COUSINS
ÉMILIE ET LA SOURIS À MOUSTACHES
ÉMILIE ET LE PETIT SAPIN
ÉMILIE ET LES LUNETTES DE NICOLAS
LE PIQUE-NIQUE D'ÉMILIE
ÉMILIE AU MARCHÉ
LA CABANE D'ÉMILIE
ÉMILIE VA À LA PÊCHE
ÉMILIE A PEUR DU NOIR
ÉMILIE FAIT PIPI AU LIT
ÉMILIE ET LA TORTUE
ÉMILIE ET LA GRANDE TEMPÊTE
ÉMILIE ET LE CIRQUE
ÉMILIE ET LES MARIONNETTES
ÉMILIE FAIT DU CAMPING
ÉMILIE NE VEUT PAS SE LAVER
LES SPORTS D'HIVER D'ÉMILIE
ÉMILIE ET L'ÉPOUVANTAIL
ÉMILIE EST INVITÉE
ÉMILIE, ALEXANDRE ET L'HÔPITAL
LE CHÂTEAU DE SABLE D'ÉMILIE
ÉMILIE ET LES FEUILLES MORTES
ÉMILIE ET LA GROSSE BÊTE
ÉMILIE ET LA PETITE CHLOÉ
ÉMILIE ET LA DENT DE STÉPHANE
ÉMILIE N'A PAS SOMMEIL
ÉMILIE JOUE À CACHE-CACHE
ÉMILIE ET GRÉGORY LE PETIT ANGLAIS
ÉMILIE, ARTHUR ET TOUS LES AUTRES
LA MALADIE D'ÉMILIE
L'ALPHABET AVEC ÉMILIE
JE COMPTE AVEC ÉMILIE
LE GÂTEAU D'ÉMILIE
ÉMILIE ET LE BÉBÉ DE NEIGE
ÉMILIE SE BAIGNE
ÉMILIE SE DÉGUISE
ÉMILIE ET LES POUSSINS
ÉMILIE ET LE COUSIN D'ARTHUR
ÉMILIE ET LA FÊTE DE SIDONIE
ÉMILIE ET LE PETIT OISEAU
ÉMILIE BOUDE
ÉMILIE ET LA VOITURE DE POMPIERS
LA GROSSE BÊTISE D'ÉMILIE
ÉMILIE JOUE AU DOCTEUR
ÉMILIE SUR LA GLACE
ÉMILIE NE VEUT PAS MANGER
LE TRÉSOR D'ÉMILIE
LE BATEAU D'ÉMILIE
ÉMILIE, GUILLAUME ET SON CÂLIN
ÉMILIE N'AIME PLUS ÉLISE
ÉMILIE EST MALADROITE
LE GRAND DÉSORDRE D'ÉMILIE
LE ZOO D'ÉMILIE
ÉMILIE ET LA FAMILLE ESCARGOT

grands albums Émilie

LETTRES D'ÉMILIE À GRÉGORY
L'ÉCOLE D'ÉMILIE
UNE JOURNÉE D'ÉMILIE
LA MAISON D'ÉMILIE
JOUE AVEC ÉMILIE